D0727068

VIVE LA LECTURE

l'histoire est vraie

Baby-sitter
de choc

Texte :
Claude Clément

Images :
Christel Desmoinaux

FLEURUS
ENFANTS

ÉDITIONS FLEURUS, 11, rue Duguay-Trouin 75006 PARIS

Chaque fois que Papa et Maman
vont au cinéma, ils nous laissent
à la maison en compagnie de Lily.
Ma sœur Marie, le bébé et moi,
nous l'aimons bien, Lily, parce
qu'elle sourit tout le temps

et qu'elle est très jolie. Et puis,
quand les parents sont partis,
avec elle, nous nous amusons
mieux que les autres soirs...
Parfois, Lily met des disques sur
la chaîne stéréo de Papa et
nous dansons le rock'n roll.

Le lendemain, Maman a du mal
à nous réveiller pour aller à l'école
parce que nous sommes fatiguées
d'avoir trop remué. Mais hier soir,
Lily nous a trahis tous les trois.

Voilà qu'elle nous a laissés
pour aller danser avec son fiancé.
Qui donc allait nous garder ?
Lorsque nous avons appris que
Vincent, le frère de Lily, viendrait
nous garder, Marie et moi nous
nous sommes juré de lui en faire
voir de toutes les couleurs,
tellement nous étions fâchées.

Quand il est arrivé, nous nous sommes mises à pleurer en suppliant Maman et Papa de rester. Dans ces cas-là, Marie est très forte pour faire couler d'énormes larmes sur ses joues. Maman ne sait pas résister !
Moi, je fais des yeux de cocker et Papa croit que je suis malade. Le bébé, lui, il ne sait rien faire, mais quand il entend les autres pleurer, il se met à pleurer aussi...
Ce soir-là, pourtant, ça n'a pas marché. Il faut croire que Papa et Maman allaient voir
un film rudement amusant !

Après les conseils habituels,
ils se sont sauvés comme
s'ils n'avaient pas de cœur.
Nous avons eu beau nous traîner
jusqu'à la porte de l'ascenseur
comme des enfants abandonnés,
ça n'a pas fonctionné !

Vincent a été obligé de nous tirer
vers l'appartement, toutes hurlantes
et larmoyantes. Après, il nous a
dit d'un ton faussement joyeux :

— Et maintenant, au bain !
Il est allé ouvrir en grand
les robinets de la baignoire.
Marie et moi, nous avons
déclaré qu'il était hors de
question d'enlever nos
culottes devant un garçon.
Alors, il a promis de se
retourner et de compter jusqu'à
cent pendant que nous nous
déshabillerions. Nous avons ôté
nos vêtements si lentement
qu'il a dû marmonner jusqu'à
cent quatre-vingts et
la baignoire a débordé !

Pendant qu'il essuyait les dégâts
avec le peignoir de Papa,
nous nous sommes glissées
dans l'eau et nous avons joué
aux dauphins.
Ensuite, Vincent est allé
chercher le bébé qui hurlait
dans son parc parce que ses
couches étaient mouillées.

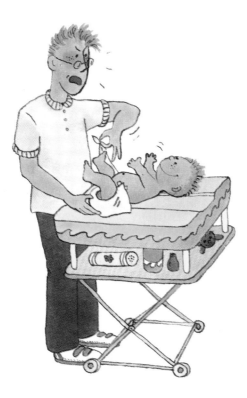

Il l'a pris dans ses bras et il est
revenu le changer à côté de
nous, sur la table à langer. Il a
déshabillé notre petit frère
en faisant la grimace, puis il a
tenté de lui mettre une couche
propre. Il ne devait pas avoir
tellement l'habitude de

ce genre d'exercice parce qu'il
a posé le bébé sur le côté en
plastique et il a refermé
la couche à l'envers.
Nous, nous le regardions faire
tranquillement, pour voir ce
qui allait se passer.

Bien sûr, quand Vincent a repris
notre petit frère contre lui,
celui-ci a refait pipi. Le pipi a
glissé sur le plastique, il est
sorti sur les côtés de
la couche, malgré les fameux
élastiques antifuites, et il a
inondé le maillot de Vincent,
qui a dû tout recommencer !

Vincent a de nouveau épongé
la salle de bains avec le
peignoir de Maman, parce
que Marie et moi, nous ne
pouvions tout de même pas
jouer aux dauphins sans faire
des éclaboussures !...
Lorsque nous avons été tous
en pyjama, Vincent s'est
encore écrié d'un ton
faussement joyeux :
— Et maintenant, à table !

Lorsque nos parents s'en vont,
Marie et moi, nous n'avons plus
d'appétit. Nous aimerions mourir
de faim pour qu'ils aient
des remords.
C'est pourquoi nous avons refusé
de manger la purée que
Vincent avait préparée. Il a eu
beau faire l'avion,
l'hélicoptère et la fusée avec
nos cuillères, nous n'avons
pas desserré les dents !

Alors, le baby-sitter s'est mis
à pleurer. Il nous a dit que Papa
et Maman ne seraient pas
contents, qu'ils ne lui donneraient
pas son argent et que c'est lui qui
allait mourir de faim.

Ça nous a tellement étonnées
que nous en sommes
restées bouche bée. Vincent
en a profité pour nous faire
avaler sa purée qui, dans
le fond, était tout à fait délicieuse.
Quand nous avons compris
qu'il nous avait piégées, nous
avons à nouveau serré
les dents. Le bébé a trouvé ça
drôle. Il nous a imitées et
Vincent ne savait plus quoi faire...

Alors, il s'est mis à bondir
et à pousser des cris de chimpanzé.
Il était si drôle que Marie, le bébé
et moi, nous avons éclaté de rire.

Vincent a continué en nous
montrant comment mangent
les chimpanzés. Pour cela, il a fait
des marionnettes avec des
bananes. Il les mettait presque
entières dans sa bouche
avant de les avaler d'un seul
coup en faisant : « Glup ! »,
comme dans un dessin animé !
C'était si amusant que nous
avons voulu en faire autant
avec les autres bananes,
les oranges et même les kiwis.
Et nous avons mangé toute
la corbeille de fruits.

Après ce repas, nous étions si
excitées qu'il était hors de
question de nous coucher, mais
Vincent est tout de même allé
mettre le bébé au lit. Afin de
nous calmer, Marie et moi,

il a proposé de nous faire un dessin.
Je lui ai donné des feuilles
de papier et il a commencé
à esquisser un éléphant !
Il est très fort, Vincent !
Parce que son éléphant était
vraiment très beau !
Pendant qu'il dessinait, je lui ai
demandé :
— Elle revient quand, Maman ?

Vincent a répondu :
— Tout à l'heure, lorsque
vous dormirez.
Son éléphant était si réussi
que Marie et moi, nous avons
voulu en dessiner un aussi.
Et nous avons gribouillé tout
le reste du papier. Ensuite,
Vincent a décrété qu'il était grand
temps d'aller nous coucher.

Ce n'était pas pour l'ennuyer,
mais me coucher sans mon Doudou,
il n'en était pas question.
Or, mon Doudou avait disparu !
Vincent s'est mis à le chercher...
Marie et moi, nous nous sommes
assises sur nos lits et nous l'avons

regardé faire. Nous avions déjà
repéré le Doudou sous mon
cartable, derrière mon petit
bureau. Mais le baby-sitter
était si drôle, à quatre pattes,
en train de flairer comme
un chien dans la chambre,
que nous avons eu envie de
le laisser renifler encore
un moment. Quand il s'éloignait
du Doudou, nous lui disions :
« Tu gèles ! » Et quand il s'en
rapprochait, nous hurlions :
« Tu brûles ! » Finalement,
Vincent en a eu assez de
chercher le Doudou et il s'est
fâché. Il nous a menacées de
nous laisser seules dans
le noir si nous ne lui disions pas
où nous l'avions camouflé.
Nous lui avons montré la cachette,
et il nous a mises au lit.

Il n'a pas voulu nous chanter
des chansons comme le faisait Lily.
C'est pourquoi nous avons refusé
catégoriquement de fermer
les yeux. A bout de patience,
Vincent a essayé de nous
endormir en nous faisant fixer
la flamme de son briquet.

Mais ça n'a pas marché.
Nous nous sommes contentées de
loucher. Marie a tout de même
bâillé et elle a demandé :
— Elle revient quand, Maman ?
Vincent a encore répondu :
— Tout à l'heure, lorsque
vous dormirez.

Il a fini par sortir sur la pointe
des pieds en pensant que
nous étions fatiguées parce
que nous ne disions plus
rien. Le bébé, lui, dormait
bien. Mais nous, nous étions
bien décidées à rester
éveillées jusqu'au retour de
nos parents, afin qu'ils soient bien
ennuyés d'être sortis sans nous.

Dans le salon, Vincent a allumé
la télévision. Il devait se croire
enfin débarrassé de nous, mais
nous avons reconnu l'air de notre
chanson préférée. Alors, nous nous
sommes levées et nous sommes
venues nous installer sur le canapé,
à côté du baby-sitter.
Pas question de nous déloger !
Pour se consoler de nos
taquineries, Vincent a pris
un chocolat dans la boîte que
nous n'avons pas le droit de
toucher depuis que nous avons

eu une crise de foie à Noël.
Marie l'a menacé de le dénoncer.
Alors, le baby-sitter s'est vraiment
mis en colère. Il a même
prononcé des gros mots...

Je lui ai fait remarquer que,
si je les répétais, ça ferait des tas
d'histoires avec les parents.
Ça l'a calmé d'un seul coup et
il a murmuré entre ses dents :
— La prochaine fois, ce sera
une vieille sorcière toute poilue

et toute bossue, toute crochue et
pleine de verrues, qui vous gardera.
Ça nous a fait tellement peur que
nous nous sommes blotties dans
ses bras. Nous avons écouté nos
chansons sans parler et nous nous
sommes endormies.

Un moment après, j'ai senti qu'il
nous emportait au lit à tour de rôle.
Il nous a même fait un baiser...
A peine un peu plus tard, j'ai
entendu nos parents rentrer.
Aussitôt, Maman a demandé :

— La soirée s'est bien passée ?
Je n'ai pas bien écouté ce que
Vincent a répondu, car je n'ai pas
pu m'empêcher de me rendormir.

J'ai à peine eu le temps de penser
que j'aimais Lily, mais qu'un baby-
sitter, ce n'était pas mal non plus !
Il fait le chimpanzé. Il dessine
des éléphants. Il nous laisse
écouter nos chansons préférées...
Mais si Vincent trouve une fiancée
pour aller danser avec lui,
qui va nous garder ? J'espère
que ce ne sera pas cette
horrible vieille sorcière toute
poilue et toute bossue, toute
crochue et pleine de verrues !

Je crois qu'il a dit ça parce qu'il était en colère... Et puis, de toute façon, Papa et Maman n'en voudraient pas dans la maison. Ils préféreraient se priver de cinéma, et ça serait encore mieux comme ça !

LES AS-TU LUS ?

C'est l'histoire mouvementée d'un mercredi pas comme les autres vécu par une maman qui a trois enfants, un mari et un chat ! Au moment de partir pour son bureau, elle se rend compte que sa petite fille est malade...

Un matin, sur le chemin de l'école, Thomas dit bonjour à son professeur, qui passe sur sa Mobylette. Le professeur tourne la tête pour saluer Thomas, pendant que le facteur arrive en sens inverse sur son vélo... C'est l'accident inévitable. Mais la journée n'est pas finie...

Tout a commencé le jour où Anita et son papa sont allés ensemble à la piscine. Anita a eu le malheur de dire à son copain Martial que son papa était gros. Bien sûr son papa l'a entendue, bien sûr il s'est fâché et il a décidé de faire le soir même un régime très sévère en obligeant Anita et sa maman à le suivre...

Un dimanche matin, les parents d'Antoine décident d'aller déjeuner au restaurant. Quand on a deux enfants, un bébé, plus le petit copain des enfants, c'est dur de se mettre tous d'accord. Toute la famille se retrouve dans une petite auberge. Mais le déjeuner ne va pas vraiment se passer tranquillement...

VIVE LA LECTURE
L'Histoire est vraie

Drôle de plombier

Claude Clément / Christel Desmoinaux

Trouver un plombier un samedi, c'est difficile, mais trouver un plombier qui remplace un petit joint de rien du tout sans tout démonter, c'est très difficile. Un papa et ses deux enfants vont vivre un après-midi rocambolesque, à cause d'un petit joint en caoutchouc.

VIVE LA LECTURE
L'Histoire est vraie

Baby-sitter de choc

Claude Clément / Christel Desmoinaux

Garder les enfants le soir pendant que leurs parents sont sortis, c'est souvent très agréable. Mais quand les enfants se transforment en adorables petits diables qui ont décidé de vous en faire voir de toutes les couleurs, la soirée peut être très animée...

VIVE LA LECTURE
L'Histoire est vraie

Grand-mère est un clown

Claude Clément / Gabriel Luer

Quand on naît dans une famille d'artistes de cirque, on se doit d'être à son tour magicien, acrobate, dompteur ou clown. Mais voilà, si on veut être vétérinaire, tout se complique, surtout quand on a une grand-mère intrépide qui fait le clown comme personne.

VIVE LA LECTURE
L'Histoire est vraie

Tonton catastrophe

Claude Clément / Christel Desmoinaux

Dans la vie, il y a des gens qui n'ont jamais de chance. Tonton Théo en fait partie. Par exemple, dans l'immeuble où il habite, il est le seul locataire à avoir un chauffe-eau qui explose, une baignoire qui fuit, et il est le seul à se retrouver bloqué régulièrement dans l'ascenseur... Mais un jour, il va rencontrer Marinette...

© Éditions Fleurus 1989
Dépôt légal octobre 1989 - N° d'édition 89020
Imprimé en Italie